시와 함께하는 제주도 여행

강문석 지음

시와 함께하는 제주도 여행

발 행 | 2022년 02월 09일
저 자 | 강문석
펴낸이 | 한건희
펴낸곳 | 주식회사 부크크
출판사등록 | 2014.07.15(제2014-16호)
주 소 | 서울특별시 금천구 가산디지털1로 119 SK트윈타워 A동 305호
전 화 | 1670-8316
이메일 | info@bookk.co.kr

ISBN | 979-11-372-7341-2

www.bookk.co.kr

시와 함께하는 제주도 여행

강문석 지음

목차

함덕 해수욕장

사랑 찾아 여기에
에메랄드 빛 바다
잔잔한 파도
모든 것이 그때와 같은데
그대는 어디 있나요?
서우봉에 올라 둘러봐도
푸른 하늘과 에메랄드 빛 바다만이
그대는 어디 있나요?

아름다운 애월 바다

애월 바다
한담 해안 산책로
너를 무엇이라 불러야 할까?
파스텔?
에메랄드?
바람은 알고 있을까?
하늘은 알고 있을까?

아마도
아름다운 애월 바다가 아닐까?
아름다운 너처럼

표선 해수욕장

드넓게 펼쳐진
하얀 모래사장과 하늘빛 바다가
푸른 바닷길을 만든다
찰랑찰랑
발이 물에 감기는 소리가 즐겁다

스르륵스르륵
발이 모래와 만나는 느낌이 좋다

푸른 바닷길 끝에
그대 거기 있나요?

협재 해수욕장

협재에는
아이들이 즐겁다

잔잔한 파도가
물놀이를 즐겁게 만든다

부드러운 모래로
모래성을 재미있게 만든다

협재에는
아이들 웃음소리가 있다

비양도 노을

비양도 너머로
황금빛 노을이 다가간다

그대에게 가까워질수록
내 마음은 붉으스레 수줍다

고깃배
괜찮다며 하얀 빛
응원을 해주고

그대를 만나
핑크 빛으로 빛난다

5월의 성산일출봉

사람들은 새해 첫날 성산일출봉을 찾는다

5월의 성산일출봉은 어떤 모습일까?
5월의 성산일출봉은 아름답고 푸르다
네 곁에 있는 우도 또한 아름답고 푸르다

푸른 바다가
너와 나의 아름다운 거리를 이어준다
너의 여름은 어떤 모습일까?

8월의 성산일출봉

동남쪽에서 바람 불어와
거친 파도를 만든다

성산리는 잔잔한 파도와 여유로움이 있다

마을 밖은 거센 파도만이

지금까지 힘든 바람
지그시 견뎌내고 있었구나!

늘 곁에 있어 너의 소중함 잊고 있었네
그대 있는 이유 이제 알았네

아쿠아플라넷 제주

하늘빛
물속까지 따스함을 전해주고

초록 해초
너의 따스함 잡고 싶어 하늘로 손을 뻗고

가오리
너의 푸름 좋아 날개짓 하고

아이스 아메리카노
그대 생각나게 하네요

벵디 돌 문어 덮밥

돌 사이로 보이는
파란 하늘 푸른 바다 하얀 솜사탕 구름

붉은 돌 문어 덮밥
푸름과 붉음 아름다운 조화

눈에는 푸른 시원한 맛
입에는 짭조름 쫄깃한 맛

솜사탕 구름은 디저트
그대 생각나는 맛

휴애리의 여름

낯선 곳에서 길을 잃었다
지도를 보다가 너를 발견한다
휴. 애. 리? 쉼과 사랑?
알 수 없는 이끌림에 어느새 너의 앞에
매화 축제, 수국 축제, 핑크 뮬리 축제,
동백 축제
너의 다양함에 놀라 어느새 수국 앞에
수국은 여름이구나
옛사람들은 비단으로 수를 놓은
둥근 꽃이라 했구나

수국은 그대처럼
잔잔하고 편안한 아름다움이구나

I ♥ J

제주도 사랑

제주도 여행 갈 때마다
기분 좋은 이유

궁금하면
나랑
제주도 여행 갈래?

5월의 카멜리아 힐

카멜리아
연보라 빛 붉음이 어울려

너의 5월은
밝고 붉은 수국

동박새가 사랑하는 꽃
동백꽃은 겨울을 기다려

동백꽃이 없어도
너의 5월은 아름답다

내가 너의 태양이 되어 줄게

좋은 아침
어젯밤에 추웠니?

이제 내가 따뜻하게 해줄게
하지만 조심해야 돼
낮에는 뜨거울 수 있어

그리고 잊지 마
네가 자는 동안 잠시 떨어져 있지만
아침에 새로운 희망을 가지고
다시 올게

OSULLOC

오설록

녹차 잎 차는
벚꽃이 필 때가 가장 좋죠

벚꽃이 졌다고
걱정하지 마세요

녹차 발효차는
가을까지 좋아요

초록 녹차 밭을 보고 싶다면
오설록은 언제나 좋아요

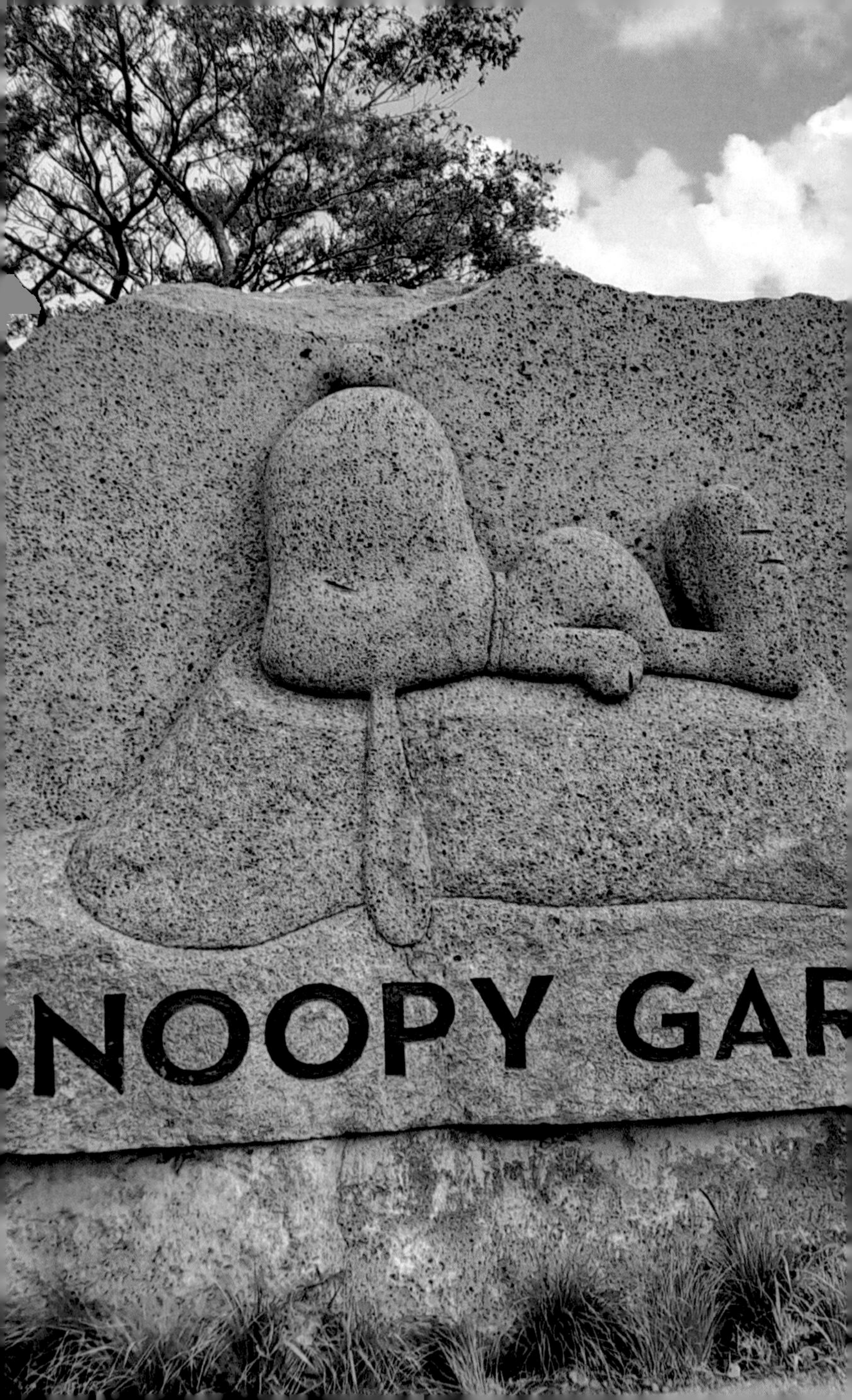
NOOPY GAR

스누피 가든

여행은
놀라운 거야

자연 속에서
세상을 바라보면

매일매일이 좋은 날이 될 거야

스누피 가든 2

새로운 장소를 찾아봐
새로운 것을 해봐
매일매일이 재미있을 거야

바람이 두 볼을 스칠 때
행복을 느낄 거야

어머니의 방 (제주 돌문화공원)

어머니께서는 돌이 되어서도
아이를 안고 있네요

한지 창 너머로
보이는 그림자
어머니 사랑이 보여요

바다보다 깊고
산보다 높은
어머니 사랑

아름다운 사랑의 거리

너와 나의 거리가 0m일 때
처음에는 사랑을 느낄 수 있지만
나는 자주 혼자 여행하고 싶어진다

너와 나의 거리가 100m일 때
혼자 있어 편하지만
때로는 사랑을 느끼고 싶어진다

아름다운 사랑의 거리는 몇 미터일까?

블루베리 쿠키 아이스크림

블루베리 빛 바다 가득
하얀 파도 크림 듬뿍
크림 사이로 보이는
초코 바위들

그대가 좋아하는
블루베리 쿠키 아이스크림

무엇이 아름다운 것인가?

하늘이 아름다운 것인가?
구름이 있어 아름다운 것인가?

바다가 아름다운 것인가?
사람이 있어 아름다운 것인가?

무엇이 아름다운 것인가?

여름 선물

푸른 하늘
하얀 구름
초록 나무

오늘 그대에게
선물 같은 하늘 드려요

600년 나무

나는 네가 만들어주는 그늘이 좋다

너는 600년 동안
얼마나 많은 사람들에게
그늘을 만들어 줬을까?

600년 동안
힘들었을까?
즐거웠을까?

이제는 걱정하지 마
내가 널 내 마음속에 저장해 둘 테니까

하얀 하늘

나무 위로 바라본 하늘
하얀 구름이 보인다

여기를 봐도 저기를 봐도
하얀 구름이 어디에나

오늘의 하늘은
하얀 하늘

하얀 하늘 2

나무 위로 바라본 하늘
하얀 구름이 보인다

여기를 봐도 저기를 봐도
하얀 구름 어디에나

오늘 하늘은
하얀 하늘

그대 웨딩드레스 입은 날

철없는 펜션

철(鐵) 없는 펜션

너에게 가는 길은 초록 초록하구나!
수국은 입구에서 나에게 손짓한다

대나무와 항아리도 어서 오라고 인사한다
자전거와 개구리도 안녕 안녕 속삭인다
빨강 노랑 보라 꽃들도 우아한 너의 모습도
아름다운데

노란 불빛 하얀 불빛이
너를 더욱 아름답게 하는구나

너는 아름다운 보물 상자

철없는 펜션 2

철없는 펜션에는
일곱 마리 고양이가 있어요
그중에 하얀 장화 고양이가
으뜸으로 철이 없어요
엄마 고양이가 한가로이
잠을 자고 있는데
하얀 장화 고양이는 엄마 꼬리와
술래잡기 놀이에 즐거워요

엄마 고양이가 나른한 듯
꼬리를 흔들어 보지만
가장 사랑스러워 보이는 건
철없는 하얀 장화 고양이

철없는 펜션 3

한 번 오면 열 번 오고 싶은 곳
힐링과 여유로움은 너의 또 다른 이름

비자림과 에메랄드 빛 바다가
친구인 너
너와 함께한 시간은 아름다운 시간

네가 있어
아무 계획 없이 와도 좋은 곳

철없는 펜션
너를 만난 건 행운이야

삶의 목적

나는 아름다움을 느끼는
사람이 되고 싶다

나는 낭만을 아는
사람이 되고 싶다

나는 사랑을 하는
사람이 되고 싶다

나는 시를 쓰는
사람이 되고 싶다

One Step Closer

아무것도 안 해보려고
시원한 나무 그늘 아래 앉았다
1분, 3분
아무것도 안 할 수가 없었다
괜히 스마트 폰을 만져보고
이것저것을 찾는다
안된다!
오늘은 자연 속에서
아무것도 안 하기로 했잖아

One Step Closer
아름다운 피아노 소리가
자연 속으로 가까이 다가가게 만든다

소년은 사라진 것인가?

뉴욕에 살고 싶지 않지만
뉴욕이 그리울 때가 있다

브로드웨이의 뮤지컬이 그립다
타임스퀘어의 New Year's
카운트다운이 그립다

갑자기 왜일까?

이제 내 마음속의
소년은 사라진 것인가?

희망이 있어 다행이다

아폴로를 아시나요?
지금도 아폴로가 있는 것이 신기하다

한 아이가 아폴로를 먹으면서
즐겁게 걸어가고 있다

코로나19가 아무리 강력해도
아이들로부터
즐거움과 희망을 뺏을 수 없구나!

아이들이 바라보는 세상

신호등에는 파란불이 없다
아이들은
녹색불 또는 초록불로 부른다

왜 파란 불이라고 해요?

나는 아이들의 질문에
대답 못 할 때가 많다

언제쯤
아이들이 바라보는 대로
세상이 변할까?

여행의 즐거움

어디로 갈까?
비행기 표를 알아본다

어디가 좋은지?
무엇이 맛있는지?
인터넷을 찾아본다

여행의 즐거움은
이미 시작됐다

절망에서 희망으로

선한 댓글이 한 사람에게
용기를 줄 수 있네요

시를 쓸 수 없는 날이 길어질수록
마음은 초조해지고
걱정은 커져가네요

선한 댓글이 한 사람에게
희망을 줄 수 있네요

비가 오고 나면 태양이 떠오르듯
절망에서 희망을 보네요

노크 (knock)

나를 즐겁게 하는 소리
파도소리
바람소리
뱃소리

나를 설레게 하는 소리
그대 목소리

노크 (knock) 2

바위에 부딪히는 파도
나무에 부딪히는 바람

예고 없이
내 마음에 부딪힌 너

함덕 해수욕장 2

그대는 매일매일
나를 놀라게 한다

어제는
에메랄드 빛 바다

오늘은
오션블루 빛 바다

그대 닮은 하늘은
크리스털 블루

선생님 반성문

오늘 선생님이 “이해의 선물”이란
책을 읽었어
선생님이 너희들에게 미안하구나!
너희들이 써준 소중한 편지를
그때는 소중함을 모르고 잃어버렸구나!
선생님을 용서해 줄 수 있겠니?
이제야 그 편지가
소중한 것이라는 것을 알았구나!

어쩌면 너희들이 처음으로
스승의 날 쓴 편지였을 텐데
정말 미안하구나!
선생님을 용서해 줄 수 있겠니?

오랜 기다림 끝에 너를 만나다

오늘 하얀 백로를 만났다
여기 가끔 오는 것은 알고 있었다
1년 전에 너를 봤었지!

너를 만나니 새로운 사랑이 시작되었다

1년의 기다림 끝에
다시 사랑을 시작하게 되었다

이제는 꽃 길만 걷고 싶다

베릿내의 흔들의자

나무 그늘 찾아서 베릿내 가까이 내려가 본다
우연히 흔들의자를 발견한다
흔들의자에 앉아보니
새소리에 집중하게 되고
시냇물 소리에 집중하게 된다

가만히 앉아 나무를 바라보니
마음이 편안해진다
흔들의자도 고요해진다

가끔은 새소리에 집중하고
가만히 나무를 바라보는
고요함이 필요하지 않을까?

아침 달리기

이른 아침 어두움을 가르고
길을 나선다
차가운 아침 바람이
달릴까? 말까? 고민하게 한다
참새들이 함께 달리자고 노래한다
참새들과 함께 달린다
붉은 태양이 함께 달리자고 웃는다
붉은 태양과 함께 달린다

이마에 맺힌 땀방울이
기분 좋게 한다
돌아오는 길에 마시는 파워에이드가
기분 좋게 한다

빼빼로데이

11월 11일
빼빼로를 삽니다
빼빼로를 그대에게 준다는 것
다른 말로
사랑해

바람이 부는 날에는

바람이 부는 날에는
엄마가 보고 싶다

백 파도가 치고
모든 배들이
항구로 돌아오던 날

엄마는 바닷속에서
얼마나 추웠을까?

바람이 부는 날에는
엄마가 생각난다

내 손을 잡아요

내 손을 잡아요
비가 오는 날에도
맑은 날에도

내 손을 잡아요
외롭다고 생각되는 날에도
보고 싶은 날에도

내가 항상 그대 곁에 있을게요

제주도

제주도
있는 그대로 아름답지만
계절 따라 더욱 아름다운 너

봄에는 유채꽃으로 노랗게 물들이고
여름에는 푸른 바다가 시원스럽네
가을이면 감귤이 주황색 빛 물들이고
겨울이면 백록담이 하얀 옷을 입네

제주도
내가 사랑하는 사람도
너와 같았으면 좋겠네

좋아하는 이유

너는 쇼팽을 좋아하고
나는 그런 너를 좋아해

너는 여행을 좋아하고
나는 그런 너를 좋아해

올리비아 허쉬

젊음은 무엇일까?
장미가 피고 지듯
젊음도 시든다고
셰익스피어는 말했지

눈에 보이는 아름다움은 사라지네
올리비아 허쉬처럼

이제 시간을 따라 변하는
아름다움을 찾아서
한결같은 사랑을 하고 싶다

베릿내 별이 비치는 개울

별이 비치는 개울
베릿내

내가 오른 베릿내에는
푸른 바다와 노란 유채꽃만이
푸른 하늘과 하얀 구름만이

아! 사랑을 하면
베릿내의 별을 볼 수 있구나!

고기국수

제주도에 가면 고기국수가 있다
내가 자주 가는 고기 국숫집은
서귀포 자구리 해안 고기 국숫집

지긋한 어르신이 만들어내는
고기국수에선 연륜이 느껴진다
맛이 느껴진다
바닷가 가는 길에 고기국수 한 그릇이면
바다가 더 아름다워 보인다

오늘은 바람도 없고 잔잔한 바다가
더 아름답게 느껴진다

행운

수많은 클로버 중에서
행운은 어디 있을까요?

사람들은 네 잎 클로버가
행운을 준다고 하네요

하지만 나에겐
그대 닮은 클로버가
행운이네요

내가 좋아하는 꽃

내가 매일 생각하는 꽃은
내 마음에 있는 꽃이야
나는 그 꽃을 정말 좋아해
그건 바로 그대라는 꽃이야

내가 좋아하는 사람

나는, 시를
즐길 줄 아는 사람이 좋다.

나는, 바다를
좋아하는 사람이 좋다.

나는, 여행을
자주 가는 사람이 좋다.

그중에서 내가 가장 좋아하는 사람은
나와 함께
여행을 가자고 하는 사람이다.

바닷바람

바람이 분다
늘 부는 바람이지만
오늘 바람은
초겨울 차가운 바람

제주에는 돌과 바람이 많다고 하지만
이렇게 바람이 세게 부는지는 몰랐네
푸른 바다에 하얀 파도가 일어나네
배들도 서둘러서 항구로 돌아가네

하얀 모자 날아갈까 봐 손으로 잡아보지만
차가운 바람은 막을 수 없네

일출

해! 너는 변덕쟁이구나!
이른 아침
붉게 물들었다가
이제는 노랗게
이글거리는구나!
바다 위 너의 그림자
길게 늘어뜨린 모습이
아름답구나!

시간이 흘러서 낮에는
어떤 모습으로 변덕을 부릴까?
궁금하구나!

인생의 지혜

가을바람 산들산들
이쪽저쪽 바람 따라
흔들거리는 너

세게 불면 푹 숙이고
살랑 불면 살랑대는 너

가을지나 초겨울 바람에도
쓰러지지 않는 네가 지혜롭구나!

어쩌면 나도 너처럼
지혜롭게 흔들거려야 되는지도...

갈매기 커플

철썩철썩
밀려왔다 밀려가는 파도소리

물 빠진 바닷가에
갈매기 커플 날아왔네
너를 보다가 한눈 판 공원에는
다정하게 손잡고 지나가는 커플

주위를 둘러보면 모두 커플들
갈매기 너마저 다정한 커플이구나!

외로운 나는 먼바다만 바라보네

섶섬

너는 항구가 싫어서 멀리 떨어졌니?

네가 멀리 있어서 유람선을 타고
내가 너에게 다가간다

너에게 가는 내 모습이 부끄러워서
이중섭 그림 속에 숨는다

너는 내가 숨바꼭질 한다고 생각하겠지만
너에게 가는 길이 너무 멀어서
갈까? 말까?
망설이고만 있네

문섬

문섬! 너는 바다 위에 가만히 누워있는데
여객선이 네 옆을 서성이네
짝사랑하는 소녀처럼

문섬! 너의 뒤에선 스쿠버다이버가
네 속 마음을 보고 싶어
오르락내리락하네

문섬!
너는 이제 갓 사랑을 하는 수줍은 소녀처럼
네 마음 보여주기 싫어서
살랑살랑 파도를 만드네

서귀포 항구

따뜻한 일요일 오후
뛰어노는 아이들 소리
꺄르륵, 하하호호 즐거운데
방파제 끝에서 가만히 말이 없이
마주 보고 서 있는 등대들
같은 모습 다른 색
너는 빨간색, 나는 하얀색
말없는 등대만이 오고 가는 배를 비추네

등대는 말이 없지만
꺄르륵, 뛰어노는 아이들 소리가
즐거운 오후를 만드네

벚꽃 아래서

벚꽃이 줄지어 기차를 만듭니다
따뜻한 봄바람이
벚꽃 기차를 춤추게 만듭니다

춤추는 벚꽃 아래서
그녀의 미소가 사랑스럽습니다

향기로운 벚꽃 아래서
사랑을 이야기합니다

오늘은 눈부신 벚꽃 아래서
그녀의 웃음소리 가슴에 담아봅니다

좋은 아침

아침에 창문을 열었더니
차가운 바람이 몸을 감싼다

이제 겨울이 시작되나?
아직 달력은
시월의 마지막을 향해 달려가는데

진한 블랙커피 향기를 품고
다시 창가에 서 본다
따뜻한 블랙커피와 파아란 하늘이
좋은 아침을 만든다

가을 하늘

둥그렇게 돌담이 있네
돌담 위에 푸르른 나무들

시원한 바람은
하늘을 쓸고 가네

바람이 쓸고 간 자리
새털구름 자국 남아있네

파아란 하늘
손을 뻗어도 잡을 수 없네

크리스마스

메리 크리스마스!
산타할아버지를 기다리나요?

해피 크리스마스!
산타할아버지는 핀란드에서 오신데요

메리 크리스마스!
산타할아버지가 늦게 와도
속상해하지 마세요

크리스마스잖아요!

부모님께

오늘 부모님을 위해
시를 씁니다

부모님 덕분에
세상이 아름다웠습니다

이제는 부모님 인생을
아름답게 만들고 싶습니다

사랑합니다

생일

생일 축하합니다

생일이 소중한 이유는
365일 중에 하루이기 때문이죠

소중한 지금까지
친구들과 보냈죠

이제는 이렇게 소중한 생일을
가족들과 보내고 싶어요

Happy New Year

Three, Two, One
카운트다운과 함께 화려한 불꽃들이
코엑스를 감싼다
Happy New Year!

펑! 퍼벙! 펑!
화려한 소리가 하늘에
꽃그림을 그리네

딩동! 딩동!
쉴 새 없이 울리는
Happy New Year!

그리움

음악소리가 들린다
어디선가 많이 들어본 노래
어디서였을까?
누구와 함께였을까?

아! 이 노래
그녀가 좋아했던 노래

노을

구불구불 길 따라
나는 걸어가네
저 멀리 산에는
솜털 구름 지나가네
서쪽 하늘에는
저녁 태양이 빛나네

오드리 헵번

신선한 가을바람
진한 블랙커피처럼
향기롭고 우아한 그대여
하지만 바라볼 수밖에 없는
나는...
그대 생각에 하늘만
바라보네

빗방울 그림

창문에 빗방울 그림
비가 오나요?
비가 왔나요?
빗방울 그림 멈추었네
비가 왔구나!

소풍

파아란 하늘

하얀 구름이 없네요

하얀 구름이 어디에 갔나요?

하얀 구름 찾다가

하얀 벤츠를 봤죠

벤츠 타고 하얀 구름 소풍 가네요

외돌개 노을

바다 위에 홀로 서서
누구를 기다리나?

해는 서쪽하늘 노랗게 물들이는데
아름다운 너의 모습 간직하고 싶어
두 눈 속에 담아봐도
너의 외로움 달랠 수 없네

서쪽 하늘 해는
시간을 달려 붉어지는데
너의 외로움이
내 외로움 같구나!

한라산 사랑

5년 만에 내려온 서귀포
한라산아!
너는 그대로구나!

나는 세월의 흔적 따라 변했는데
한라산아!
너는 너른 품으로
서귀포를 감싸는 모습이
한결같구나!
나도 너처럼 한결같은
사랑을 하고 싶구나!

천지연 폭포

5년 전이나 지금이나
지칠 줄 모르고 흐르는 너

나는 지쳐서 잠시 넘어졌는데

시월의 마지막 날
따뜻한 햇살 아래서
끊임없이 흐르는 너를 보면서
용기를 얻는다

그리고 너에게 하나 부탁할게
내가 다시 일어날 때까지
지치지 말고 계속 흘러주기를…

여름 휴가 준비

똑똑똑
이른 아침부터 누군가
창문을 두드린다

누구지?
이 시간에?
눈을 떠보니
수많은 빗방울이
창밖에서 기다린다

여름 장마가 시작됐구나
이번 휴가는 어디로 갈까?

사랑

나무들도 대화를 하는 것을
알고 있나요?

엄마 나무는 아이 나무에게
영양분도 주고
살아가는 방법을 가르쳐주죠

나무들도 사랑을 하는 것을
너무 늦게 알았네요
엄마가 아이를 사랑하는 것처럼.

새소리가 들린다는 건

공원에 갔더니
새소리가 들리네요

새소리가 들린다는 건
좋은 공원이란 거죠

새는
나쁜 공원엔 안 가거든요.

작가의 말

"시는 치유의 힘을 가지고 있습니다."
"시는 세상을 특별하게 바라볼 수 있도록
우리에게 새로운 영감을 줍니다."
작가는 시를 읽는 것만으로도 마음이 치유될 수 있다고 믿고 있습니다.
그리고 새로운 곳으로 여행을 가는 것만으로도 행복할 수 있다고 믿고 있습니다.

여행과 시의 즐거움을 많은 사람들에게 전달해주기 위해서 이 책 "시와 함께하는 제주도 여행"을 쓰게 됐습니다.

강문석 작가